W9-DCY-393

初·信·栽·培·手·冊

芽苗

盧宏博 著

教會聖工叢書
茁苗——初信栽培手冊
作者：盧宏博（李保羅、李榮鳳）
封面設計：梁細珍
出版及發行：天道書樓有限公司
承印：華輝製版輸出公司
一九八一年三月初版
二〇一二年五月第三十三次印刷
編號：TD0209
版權所有

Church Ministries Series
Handbook on Follow-up
by Paul & Ruth Li
Cover designed by Fion Sai-chun Leung
© 1981 by Tien Dao Publishing House Ltd.
1st edition, March 1981
33rd printing, May 2012
Cat. No.: TD0209
ISBN: 978-962-208-059-1
All Rights Reserved

全球發行　Global Distributors

天道書樓有限公司 / Tien Dao Publishing House Ltd.
香港九龍土瓜灣貴州街六號十樓
9th Fl., 6 Kwei Chow St., Tokwawan, Kowloon, Hong Kong.
電話：852-2362 3903　　圖文傳真：852-2499 8103
http://www.tiendao.org.hk　　Email: servant@tiendao.org.hk

Tien Dao Christian Media Association Inc.
10883-B S. Blaney Ave., Cupertino, CA 95014, U.S.A.
Tel: 1-408-446-1668　　Fax: 1-408-446-1892
http://www.tiendao.org　　Email: info@tiendao.org

教會聖工叢書序言

在余牧會十餘年之經驗中，深感有關教會聖工的中文參考書奇缺，教會之聖工人員有心研讀者，往往無從入手；更有對教會的本質和形象，模糊不清，或對教會的發展與增長，混亂而不知所措；間或有學養俱豐，資歷深厚的牧長，對教會聖工頗有見地，惟亦因工作繁忙，心疲力竭，以致未能搜集資料，周詳計劃，編撰成書出版。為此，余常冀望能有一套有關教會聖工的中文叢書出版，以一些深入而不過分專門，理論與實際並重的參考材料，供應在教會事奉的同工，使他們對各項教會事工之目的、價值、相互間的關係，有更明確的認識和實際的指南，以致教會的根基更穩健，發展更平衡，可以達到豐盛長成的身量。

現今，香港天道書樓在這方面有同樣的異象和使命，決定出版一套教會聖工叢書，並命余為顧問編輯，余實感任重道遠，惟願靠主洪恩，能有些微貢獻。余盼望各書的內容，一部分是理論性的材料，使參與聖工者有一穩固的基礎；另一部分是實用的材料，供各聖工人員即時應用。

深願神使用這一套叢書，使華人教會明日之事奉更如日中天，榮神益人！

張子華

內容

謹獻給
每個肯付代價
作真基督徒的人

1

得救的確據

　　恭喜你！你已經誕生在神的大家庭裏，成筆記為神的兒女了！這是你一生中最重要的事情。

　　這實在令人興奮！連天使也為你雀躍，你知道嗎？——

　　「一個罪人悔改，神的使者也為他歡喜！」

（路加福音15:10）

筆記　　這是你的「屬靈出世紙」，請用歡喜、快樂的心情來填寫吧：

在 ＿＿＿＿ 年 ＿＿＿ 月 ＿＿＿ 日，

我接受了主耶穌基督進入我的心裏

作我的**救主**：赦免我的罪；

作我的**主**：掌管我的一生。

我現在已經成為神的兒女，

成為一個新造的人，

開始一個新的生命和生活！

簽名：＿＿＿＿＿＿＿

現在不妨根據聖經重溫一下你是怎樣成為神的兒女的——

1. 你知道你本來是屬神的：

「神照着自己的形像<u>造人</u>。」

（創世記1:27）

「地和其中所充滿的都<u>屬乎主</u>。」

（哥林多前書10:26）

2. 你知道你的罪叫你與神隔開，要受罪的刑罰：

「世人都<u>犯了罪</u>，虧缺了神的榮耀。」

（羅馬書3:23）

「罪的工價乃是 死，惟有神的恩賜，在我們的主耶穌基督裏，乃是永生。」

（羅馬書6:23）　筆記

3. 你知道你自己沒有辦法除去你的罪，你的行為不能使你得救：

「你們得救是本乎 恩　，也因着信，這並不是出於自己，乃是神所賜的，也不是出於 行為，免得有人自誇。」

（以弗所書2:8-9）

4. 你知道神愛你，又相信主耶穌是為你死了，使你得免死的刑罰：

「惟有基督在我們還作 罪人 的時候為我們死，神的 愛 就在此向我們顯明了。」

（羅馬書5:8）

「祂（主耶穌）被掛在 木頭 上，親身擔當了我們的罪，使我們既然在罪上死，就得以在義上活。」　（彼得前書2:24）

5. 你願意悔改，邀請並接受主耶穌基督進入你的心裏，作你個人的救主。你求祂赦免你的罪，並感謝祂為你而死：

「我們若 認 自己的罪，神是信實的，是公義的，必要赦免我們的罪，洗淨我們一切的不義。」　（約翰壹書1:9）

「凡 接待 他的，就是 信 他名的人，
他就賜他們權柄，作 神的兒女 。」

（約翰福音1:12）

這是「得救」的公式：（參看上面第3點）
（神的 恩 ＋你的 信 －你的行為⇒得救）
神要做的（施恩）他做了嗎？（做了 / ~~未做~~）
你要做的（相信）你做了嗎？（做了 / ~~未做~~）
如果你的答案是「做了」，你就得救了！

但且慢──你有得救的把握嗎？

如果你現在就離開世界，你有把握去到主耶
穌那裏嗎？（有 / ~~沒有~~）為甚麼？（請講出來）

請聽神的應許：

「……神賜給我們永生，這永生也是在他兒
子（主耶穌）裏面。人有了神的兒子（就
是相信了耶穌）就有（已經有）生命，沒
有神的兒子就沒有生命。我將這些話寫給
你們信奉神兒子之名的人，要叫你們**知道**
自己有永生。」（約翰壹書5:11-13）

〔永生不單是指沒有窮盡或結束的生命（在
量方面而言），最重要的是指能與神相好往來，
跟他有親密和愛的關係（在質方面而言）。〕

這裏再清楚不過了：

相信了耶穌 ⇨ ___有___ 永生

未相信耶穌 ⇨ ___沒有___ 永生

∴你相信了耶穌 ⇨你有 / 沒有永生

「有永生」就是「有得救的把握」。請再進一步來思想：

你知道你已經得救了嗎？（知道 / ~~不知道~~）

你覺得你已經得救了嗎？（覺得 / ~~不覺得~~）

請再讀上面約翰壹書5:11-13的經文，留心它是說「要叫你們知道 / ~~覺得~~自己有永生」。

每個信主耶穌的人在相信的時候都會有不同的「感覺」。有人感受比較深，有人則感受比較淺；而且「感覺」有時也會受環境影響。你不必追求或羨慕別人的反應。「感覺」不是最重要的；「事實上」你已經得救了，那才是最重要的。（如果你沒有「感覺」的話，你須要用「信心」來接受神的應許。）

不單神的話語保證你是神的兒女，神的聖靈和你自己的心也證明你是神的兒女：

「聖靈與我們的心同證我們是神的兒女。」

（羅馬書8:16）

　　我們相信了主耶穌之後，聖靈會叫我們心裏平安，與神可以有親密的關係，不再因為罪而怕面對神。這裏的「心」不是説你「感覺」到得救了，乃是説能夠平安快樂的到神面前來，表明你與神的關係已經和好了。

　　這樣，證明我們是神的兒女的有三：

① 神的話語；*言外在説據*
② 神的聖靈；*由心非説據*
③ 你的心。*由心引導*

　　最後，請你肯定的再回答這個非常重要的問題：你有得救的把握嗎？（有／沒有）為甚麼？

因信神的恩，加上我的信，
　就有永生，
而且我相信神的説話，
也体会到是我信，
及我心有平安。

習作：

① 請背熟約翰壹書5:12「人有了神的兒子就有生命，沒有神的兒子就沒有生命。」相信你已經很明白這節聖經的意思了。

②約翰福音3:16是很寶貴的一節聖經。請在下面
　的空位上填上你自己的名字，使它對你有更
　親切的意義：

> 神愛 *陳翠嬋*　，
> 甚至將祂的獨生子賜給 *陳翠嬋*　，
> 叫 *陳翠嬋*　（信了祂），
> 不至滅亡，反得永生。

③你既然是神的兒女，神就是你的父親，你可
　以叫祂做（馬太福音6:9）*我們在天上的父* .
　　　　（羅馬書8:15）*我們呼叫阿爸父 . 可見同證*
　　　　　　　　　　　　我們是神的
　　　　　　　　　　　　兒女

④試在這個星期裏告訴一位朋友你已經相信耶
　穌了。

2

生命的主

這是一個很嚴肅的問題，足以影響你的生活充滿苦惱、愁煩、掙扎，還是滿有喜樂、平安、把握。決定在於你自己！請你坦誠的來思想這一課的內容。

請你先回答幾個問題：

1. 你認為怎樣才算是一個基督徒？

□相信了耶穌 ｝信心

□參加教會聚會

□每月有奉獻

□有向人傳講耶穌 ｝行為

□受洗加入教會

相信你還記得上一課的金句；還有以弗所書2:8-9（本書第9頁）。聖經又說：

「若有人在基督裏，他就是新造的人，舊事已過，都變成新的了。」

（哥林多後書5:17）

2. 你認為做一個基督徒是：

□參加一種宗教活動、結識朋友

□有些精神寄託、消磨時間

□與神發生生命的關係

主耶穌說：「凡要救自己生命的，必喪掉生命；凡為我喪掉生命的，必得着生命。」

（馬太福音16:25）

你是個基督徒，主耶穌要求你把你的生命交給祂。可見相信耶穌不是一件隨便、兒戲的事。

3. 你生活行為的準則是：

□我的喜好　　　　□別人的歡心

□我的利益　　　　□別人的原則

□我的性格、習慣　□今日的潮流

□聖經的原則　　　□環境的壓力

□主耶穌的要求

主耶穌説：「若有人要跟從我，就當捨己，天天背起他的十字架來跟從我。」

（路加福音9:23）

到這裏，相信你已感受到「做基督徒」或者「相信耶穌」事態是多麼嚴重的了！

「無論甚麼人，若不（先坐下計算代價，然後）撇下一切所有的，就不能作我的門徒（基督徒）。」（路加福音14:33、28）

請你先從主耶穌到世上來的目的想起：

「我（主耶穌）來了，

　　是要叫人_____，

　　　　並且_____。」

（約翰福音10:10）

可見主耶穌對你有兩個心意：

1.要你得生命：相信祂，以祂為救主；

2.要你得更豐盛的生命：倚靠祂，以祂為主。

你已經作了第一個決定（以祂為你的救主）；然而第二步（以祂為你的主）仍有待你進一步的決定———不要草率決定，你要計算代價！

首先，你需要明白甚麼是「福音」，甚麼是「作基督徒的意義」，下面給你解釋一下———

「作基督徒」就是以主耶穌做你的：	
A　救主	B　主
①在十字架上 　他把他的生命給你	①在十字架下 　你把你的生命給他
②祂要拯救你的生命	②祂要帶領你的一生
③祂要叫你得生命	③祂要叫你得豐盛的生命
（半個福音）	（另外半個福音）
整個福音	

這樣看來，「作基督徒」是生命的**交換**、**交流**和**交託**，要把你的生命給主耶穌，讓祂來帶領你的一生。

使徒保羅自己就有這樣的經歷，他不再按自己的喜好、理想來決定自己的前途。他說：

「我已經與基督同釘十字架，現在活着的，不再是我，乃是＿＿＿＿在我裏面活着。」

（加拉太書2:20）

因此他以神的慈悲勸你：

「將身體（就是整個人，你的一生）獻上，當作＿＿＿＿，是聖潔的，是神所喜悅的；你如此事奉乃是理所當然的。不要效法這個世界，只要心意更新而變化，叫你察驗何為神的善良、純全、可喜悅的旨意。」　　（羅馬書12:1-2）

　　古時，以色列人把牲畜殺了作為祭物來獻給神；現在，神要你整個人活生生的完全獻給祂：這就是「活祭」的意思。

　　在神看來，你是活的；在你看來，你是死的。

　　「你們向____也當看自己是____的；向____在基督耶穌裏，卻當看自己是_____的。」

（羅馬書6:11）

　　「生命」似乎很抽象，好像是捉摸不到的；

其實它是很具體、很實在的。它就是你整個人：

對你來說，「生命」還包括些甚麼？若還有其他，請寫在下面：

□_____，□_____，□_____。

你願意主耶穌在哪方面作你的「主」？請在該方面前的空格上填上✓號。

主耶穌要做你整個人「生命的主」。你是否把上面各項都✓了？如果是，請把圖中的「我」劃掉，只留「基督」掌管和帶領你的一生。

你有某方面不想主耶穌做你的主沒有？為甚麼？你有甚麼個人的困難？

_____

_____

_____

_____

_____

習作：

① 請背熟詩篇138:8「耶和華必成全關乎我的事；耶和華啊，你的慈愛永遠長存。」不妨用你的生活來體驗這句話的真實。

②既然你願意主耶穌做你「生命的主」，請你
　即刻簽寫這張支票，表明你願意你的一生任
　神來取用：

我的銀行		
	日期：　/　/	
祈付　　主耶穌	或持票人	
我的一生	**$** 我的一生	
	簽名	
‖‧7⼊5968‖‧　⼊⼊8295‧‧0O⼊‧		

③主耶穌是你「生命的主」，祂又是你的：
　（約翰福音10:11）＿＿＿＿＿＿＿＿＿，
　（希伯來書13:6）＿＿＿＿＿＿＿＿＿，
　（詩篇18:1-2）＿＿＿＿＿＿＿＿＿＿＿
　＿＿＿＿＿＿＿＿＿＿＿＿＿＿＿＿＿。

　祂愛你！

3

靈修生活

一個很美、很寧靜的清晨⋯⋯

晨光空氣，清新爽朗，陽光⋯⋯

「早晨天未亮的時候，耶穌起來到曠野地方去，在那裏禱告。」　　　（馬可福音1:35）

可能你會感到詫異，主耶穌是神，祂也要祈禱，祂也要一早起來「靈修」？

不錯！在世為人的主耶穌也看重每日與父神交往。你又如何？

「靈修是甚麼？」

「靈修」是論到基督徒生活的一個用詞。按字面是「修養你的靈性」的意思；簡單來說，就是每日預空一段時間安靜下來面見神，在讀經和祈禱中與神交往。

試看看猶太人，宗教生活就是他們的整個生活，沒有甚麼時間是與神無關係的。神成為他們生活的中心：

「我要在你們中間行走，我要作你們的神，你們要作我的子民。」　（利未記26:12）

縱然他們的整個生活都在親近神（其實基督徒也應該是這樣：記着「主耶穌是你生命的主」）他們仍願意抽時間特別到神面前來。請看一些例子：（詩篇5:3和標題）＿＿＿＿＿＿＿＿＿＿

（馬可福音1:35）＿＿＿＿＿＿＿＿＿＿

當你認識到「靈修生活」是你整個「基督徒生活」的一部分，你就不會再問「為甚麼我要靈修」，倒會反問「為甚麼我不靈修」。

「到底靈修是為了甚麼？」

1. 是你特別來親近神、與神交往的時間；
2. 是你特別到神面前來支取生活力量的時間；
3. 是你特別來敬拜神的時間。

　　既是這樣：

1. 你要找一段最適合你的時間（開始時嘗試用二十分鐘的時間），找一個最適合你的地方，能給你安靜的環境和心境，使你可以專心靈修。

2. 最好是在清晨時候靈修，將一日的事情或困難交託神，求神給你力量，勝過一日的問題和引誘。清晨通常也是精神最好、最能集中思想的時間：將一日中最好的時間獻給主！（但實際仍須看個別情形，總有一段時間最適合你。）

3. 不要只想從靈修中「得着」些甚麼。這是很自私、以自我為中心的想法。當你能真正的經歷到親近神，將感謝、讚美歸給神——就是說：你能敬拜神，叫神「得着」你，那已經是最有意義的一次靈修了。你是來到「神」面前，不是單來到「聖經」面前。

　　其實，這三方面是不可分開的：

敬拜神→親近神、與神交往→得着生活力量

（神得着你）　（彼此來往）　（你得着神）

「靈修要做甚麼？」

　　正如上面所說，靈修時你要敬拜神，透過讀經和祈禱來敬拜神。在靈修中，你也可以唱詩歌、讀輔助靈修的書籍，但仍不離敬拜的目的。

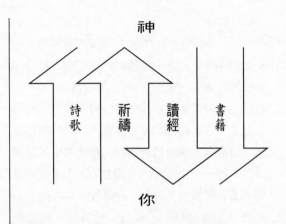

祈禱	你直接對神說話。	神直接對你說話。	讀經
詩歌	透過別人的詩詞，你更多表達你對神的感受。	透過別人的解釋，你更多明白神對你的教導。	書籍

敬拜敬拜敬拜敬拜敬拜敬拜敬拜敬拜敬拜敬拜敬拜

　　這樣，你要有一個計劃，加上決心和神的幫助與提醒，好叫你的靈修生活能持之有恆：

①時間：早午晚＿＿＿＿＿＿＿＿＿＿＿＿＿＿＿

②地方：＿＿＿＿＿＿＿＿＿＿＿＿＿＿＿＿＿＿＿

③開始讀的書卷：約翰福音（然後可以讀約翰壹書、貳書、叁書，再後是其他福音書、使

徒行傳和新約書信。對新約有些認識才去讀
舊約，這是較理想的方法）。每次靈修可以
讀一章或者一件事蹟段落。

　　一年365日，你不可能有365個不同的靈
修形式，你總要有一個基本的靈修程序。有形
式不等於徒有形式。以下是一個靈修程序的建
議：

步驟	注意
1. 唱詩	選一些讚美、感恩的詩歌來唱，好安靜和帶領你的心靈去敬拜和親近神。
2. 祈禱	可借用所唱的歌詞表達對神的讚美； 為新的一天感謝神； 求聖靈引導你進入真理、明白真理。
3. 讀經	你須要這個方向來讀： 1. 知道該段經文說甚麼　　　（觀察） 2. 明白該段經文說甚麼　　　（解釋） 3. 神透過該段經文要你做甚麼（應用） 不要一讀聖經就立即說：「這經文教訓我……」。能夠知道聖經本身的內容，已經是你的一個「得着」了！

	讀起來有不明白的地方嗎？不要因為魚有骨就不吃魚！對付不明白的經文你可以：①用鉛筆把聖經裏不明白的地方圈出來，以後明白了就把鉛筆線擦掉。②把不明白的經文經節及問題寫在筆記簿裏，留待以後找解答。 總之，不要過分着眼在不明白的地方；好好品嚐魚肉的鮮味，不要理那些骨！到這裏才可以參看輔助的讀經釋義書。
4.默想	這段聖經提醒你做甚麼？你要思想： 1. 這段聖經提出了甚麼基督徒生活的原則，或內心的態度，或外在的行動？ 2. 我在這方面有甚麼困難，有甚麼要改的地方？也求聖靈指示我所不知道的。 3. 我決心的具體行動。
5.祈禱	回應你所領受的；求神幫助你一日的生活，有基督徒的樣式。

約翰福音 約

> 五五 五六 五七
> 真是可喫的，我的血真是可喝的。喫我肉、常在我裏面，我也常在他裏面。永活的父…我又因父活着，照樣，喫我肉的人也要因

最後是對你的一些實際建議：

1. 每次靈修後在該段經文中找一節聖經作為一日默想的金句。

2. 用筆記簿簡單寫下讀經時的認識和領受。

3. 若可行，約同一兩位基督徒在靈修時讀同一段的經文，到相見時可以彼此分享。這也是幫助你有恆心去靈修的一個方法。

習作：

① 請背熟詩篇5:3「耶和華啊，早晨你必聽我的聲音；早晨我必向你陳明我的心意，並要警醒。」

② 這個星期開始靈修，並用筆記簿來記錄。

③ 背熟新約聖經目錄，從「馬太福音」到「使徒行傳」，又從「希伯來書」到「啟示錄」。

4

教會聚會

做了基督徒，你就是神家裏的一分子！
（還記得你已經是神的兒女嗎？）

「這家就是永生神的教會。」

（提摩太前書3:15）

教會需要你，你需要教會：因為家需要你，你需要家。

「教會」本來是「一群公民從家裏被招聚到一個公眾地方舉行集會」的意思；在新約裏，它是指「一群被神用基督的寶血救贖的人從世界中出來歸屬基督，與祂親近、交通，敬拜祂」。

在新約中，「教會」有兩方面的意思——

1.看得見的有形教會：是指一班基督徒在某個地方集合一起敬拜神、傳福音的團體。

2.看不見的無形教會：是指歷世代以來，不分國籍，一切真正相信耶穌的人的整體。

你一旦相信了耶穌、
　　　做了基督徒，
你已經是無形教會的一
　　　個成員！

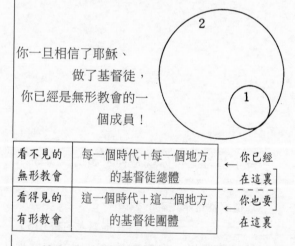

| 看不見的無形教會 | 每一個時代＋每一個地方的基督徒總體 | 你已經在這裏 |
| 看得見的有形教會 | 這一個時代＋這一個地方的基督徒團體 | 你也要在這裏 |

教會是由基督徒組成的，教會的功用就相對於每一個基督徒的需要：

教會的功用	你的需要
① 敬拜：「你們要_____耶和華，向耶和華唱新歌，在聖民的會中讚美祂。」（詩篇149:1）	敬拜
② 團契：「要_____，激發愛心，勉勵行善。」（希伯來書10:24）	交通
③ 教導：「凡我所吩咐你們的，都教訓他們____。」（馬太福音28:20）	學習
④ 訓練：「為要成全聖徒，_____，建立基督的身體。」（以弗所書4:12）	事奉

（教會當然還有傳福音和慈惠的工作。）

因此，教會預備了各種聚會來供給你各方面屬靈上的需要：

① 主日崇拜──讓你敬拜…學習…交通…事奉；

② 主日學──讓你學習…敬拜…事奉…交通；

③ 團契──讓你交通…事奉…學習…敬拜；

④ 祈禱會──讓你交通…敬拜…學習…事奉。

原來每種聚會都少不了這幾方面的性質，但重點各有不同。你屬靈的生命若要成長得平衡而健全，你起碼要參加上述四個聚會。

除了上述的聚會，各教會為了需要，會安排其他聚會（這裏指經常定期性的）。你知道你的教會一共有多少聚會、又有多少是適合你的嗎？

你的教會現有的聚會			A	B	C
聚會名稱	星期	時間	(△)	(✓)	(○)

A：適合你參加的聚會，用△表示；

B：你已經參加的聚會，用✓表示；

C：你還想參加的聚會，用○表示。

　　神願意與你個別的交往：你要經常靈修；同時，神也要你與其他基督徒集體的來敬拜祂：你要參加教會聚會。

　　你參加教會聚會有困難嗎？

　　「你們不可＿＿＿＿＿，好像那些停止慣了的人，倒要彼此勸勉（提醒有關聚會的意義和重要）；既知道那日子（主再來的日子）臨近，就更當如此。」　（希伯來書10:25）

　　最後，給你一些提議和提醒：

① 聚會前，你應該早一點返教會，使你多一些時間與別人交談，或作擺放詩歌之類的事務性事奉。並且凡事顯得主動一點，學習開放自己。

② 星期六晚不要遲睡，免致影響你星期日參加主日學和主日崇拜的精神。

③ 你要固定參加一間教會來聚會。

④ 萬一你因特別事故未能參加教會的主日崇拜聚會，你應盡可能參加附近教會的早堂（通常約早上八時左右開始）或晚堂（通常約晚上八時左右開始）崇拜聚會：「不要停止崇拜聚會。」

⑤不論是經常性的主日崇拜、主日學、團契週會和查經祈禱會，或偶然性的培靈會、奮興會、研討會、講習班和訓練班，又或其他聚會，嘗試養成記錄講道的習慣。這能幫助你集中你的精神、澄清你的思想、加深你的印象、方便你的溫習。下面是講道記錄內容的一個建議：

日期：＿＿＿年＿＿月＿＿日　聚會性質：＿＿＿＿＿

講員：＿＿＿＿＿＿＿＿　講題：＿＿＿＿＿＿＿＿＿

經文：＿＿＿＿＿＿＿＿＿＿＿＿＿＿＿＿＿＿＿＿＿＿

內容撮記（大綱重點；例子；生活應用）——

＿＿＿＿＿＿＿＿＿＿＿＿＿＿＿＿＿＿＿＿＿＿＿＿＿

＿＿＿＿＿＿＿＿＿＿＿＿＿＿＿＿＿＿＿＿＿＿＿＿＿

新認識（解經知識；生活原則）——

＿＿＿＿＿＿＿＿＿＿＿＿＿＿＿＿＿＿＿＿＿＿＿＿＿

＿＿＿＿＿＿＿＿＿＿＿＿＿＿＿＿＿＿＿＿＿＿＿＿＿

對我的提醒——

1.對神：＿＿＿＿＿＿＿＿＿＿＿＿＿＿＿＿＿＿＿＿＿

2.對教會：＿＿＿＿＿＿＿＿＿＿＿＿＿＿＿＿＿＿＿＿

3.對別人：＿＿＿＿＿＿＿＿＿＿＿＿＿＿＿＿＿＿＿＿

4.對自己：＿＿＿＿＿＿＿＿＿＿＿＿＿＿＿＿＿＿＿＿

習作：

① 請背熟提摩太前書3:15「這家就是永生神的教
會、真理的柱石和根基。」

② 聖經中用了多個名稱來形容「教會」，你知
道嗎？請把下列的名稱適當的選填在下面各
經節的後面（可以翻查聖經，第一題是例
子）：

a.基督的新娘　b.靈宮　　c.真理的柱石和根基
d.神的教會　　e.神居住的所在　f.基督的身體
g.基督的豐盛　h.榮耀的教會　i.聖潔的祭司
j.眾長子的教會　k.永生神的教會　　l.神的家
m.聖徒的教會　n.我（基督）的教會　o.聖殿
p.神的殿

1. 以弗所書1:23（ g ）

2. 馬太福音16:18（　）

3. 彼得前書2:5（　）

4. 以弗所書2:21（　）

5. 哥林多前書3:17（　）

6. 歌羅西書1:24（　）

7. 啟示錄21:9（　）

8. 以弗所書5:27（　）

9. 提摩太前書3:15（　　）

10. 希伯來書12:23（　　）

11. 加拉太書1:13（　　）

12. 哥林多前書14:34（　　）

13. 以弗所書2:22（　　）

③背熟新約聖經目錄，從「羅馬書」到「腓利門書」。這些書信因為都是使徒保羅寫的，所以統稱為「保羅書信」。背熟這部分後，試連同上次背熟的按次序一起來背。

④下次主日崇拜時嘗試作講道記錄。

5

主內交通

請回答下面的幾個問題：

1. 下面三種活動，請用1-2-3來代表你喜歡的次序：a. 單獨看書（　）

    b. 球類活動（　）

    c. 與人閒談（　）

2. 你有事情（困難或快樂）時，要怎樣才會把事情告知別人：a. 我不會隨便告知別人（　）

    b. 別人問及我便會出聲（　）

    c. 有事情就想告知別人（　）

3. 你覺得最攔阻你與人交談或相處的原因會是：（可以選多過一個答案）

a.性格（　）　　b.話題（　）　　c.機會（　）

d.口才（　）　　e.興趣（　）　　f.勇氣（　）

g.其他（請註明）＿＿＿＿＿＿＿＿＿＿

    （這些問題不是證明甚麼，只是讓你反省一下自己。請思想一下你為甚麼會選這些答案。）

「交通」的意思是說基督徒在靈裏彼此的來往、激勵、關懷。快樂時彼此分享；困難時互相分擔。作為基督徒的你，自然也會感到有這個需要，是嗎？

基督徒能夠彼此在靈裏有交通，是因為：
1.有同一的生命——
　　「（凡）有了神的兒子就有_____。」
　　　　　　　　　　　　　　　　（約翰壹書5:12）
2.有合一的關係——
　　「竭力保守聖靈所賜_____的心。」
　　　　　　　　　　　　　　　　（以弗所書4:3）
3.有家庭的親密——
　　「這家就是永生神的_____。」
　　　　　　　　　　　　　　　　（提摩太前書3:15）

神不願基督徒單獨一個人孤單的過基督徒生活。神為你預備了其他的基督徒，叫你們彼此相愛，彼此相顧。這是神的心意和計劃。

你和與你在一起的基督徒，大家都有了新的生命。你們對人生、價值觀、道德倫理的看法，都有了合乎神心意的改變，所以可以彼此鼓勵和提醒，同心奔跑前面的天路。

但是，縱然有這個最重要的相同點，人與
人之間仍然有很多差異處，因為沒有兩個人是完
全相同的：

性格→　　　　　　←性格
喜好→　　　　　　←喜好
過去特別經歷→　　　←過去特別經歷
家庭背景→　　　　←家庭背景
工作環境→　　　　←工作環境
智能、學歷→　　　←智能、學歷
信主年日長短→　　←信主年日長短

在一個團體裏，各人彼此差異的情形就更
顯著了。但由於基督徒有同一的生命，又有主耶
穌在團體當中，彼此就可以用愛心來了解、接
納和欣賞別人與自己不同的地方，進而彼此得到
幫助和建立。

關於「交通」，這裏對你有一些提示：

① 主內交通是要雙程的：要主動關心別人，又
　要主動開放自己。問別人的事情，也要講自
　己的事情：

你自己　　講　　別人
　　　　　問

②要出於真正的關心，不要只為好奇，想多知道別人的私事。

③對人要坦誠，但說誠實話時須要出於愛心（以弗所書4:15）。多說鼓勵的積極話；多分享靈裏的需要、得着和經歷；多數算神的恩典。

④開放自己難免要付代價，例如對人坦誠時會顯露了自己的某些弱點給人知道、要勝過自己內向的性格、要多花時間來接觸，但如果真的在靈裏彼此有交通勉勵，那是值得的。

⑤私下為信徒朋友代禱能促進你與他們的交通。

⑥留意有沒有基督徒（特別是同性別的）可以與你有進一步深入的交通，做個屬靈的知己。求神引導你這方面的尋求。

⑦在生活上有困難時，應先找基督徒朋友商量，外面的朋友多不會給你合乎神心意的原則、建議或解決方法。

　　最後，請你讀一遍腓立比書2:1-5，默想裏面的意思：

> 「所以，你們在基督裏若有甚麼勸勉，有甚麼愛心的安慰，有甚麼靈裏的契通，有甚麼慈悲和憐憫，就應當有同樣的思想，同樣的愛心，要心志相同，思想一致……

不要自私自利，也不要貪圖虛榮，只要謙
卑，看別人比自己強。各人不要單顧自己
的事，也要顧別人的事。你們當以基督耶
穌的心為心。」　（新譯本）

習作：

① 請背熟約翰福音13:34「我賜給你們一條新命
令，乃是叫你們彼此相愛；我怎樣愛你們，
你們也要怎樣相愛。」

② 聖經經常用「彼此」一詞來提醒我們怎樣過
團契交通的生活。請翻查聖經，然後把右邊
經文前的字母填在左邊適當的答案前的橫線
上——

一、正面（要彼此……）：　　（經文）

__	1. 彼此相愛	a.羅馬書　　　15:5
__	2. 用愛心彼此寬容	b.以弗所書　　4:2
__	3. 用愛心彼此服事	c.彼得前書　　4:9
__	4. 按恩賜彼此服事	d.雅各書　　　5:16
__	5. 彼此洗腳（服事）	e.希伯來書　　10:24
__	6. 彼此聯絡作肢體	f.馬可福音　　9:50
__	7. 彼此同心	g.羅馬書　　　15:14
__	8. 彼此接納	h.以弗所書　　5:21

___ 9. 彼此建立	i. 羅馬書12:10
___10. 彼此相顧	j. 哥林多後書13:12
___11. 彼此相勸、勸慰	k. 彼得前書4:10
___12. 彼此勸戒	l. 約翰福音13:14
___13. 彼此順服	m. 約翰壹書1:7
___14. 彼此包容	n. 歌羅西書3:16
___15. 彼此饒恕	o. 羅馬書12:5
___16. 彼此以恩慈相待	p. 腓立比書2:3
___17. 彼此擔當重擔	q. 帖撒羅尼迦前書5:15
___18. 彼此教導	r. 約翰福音13:34
___19. 用信心彼此激勵	s. 哥林多前書1:10
___20. 彼此和睦	t. 加拉太書6:2
___21. 彼此相交	u. 帖撒羅尼迦前書5:11
___22. 彼此款待	v. 歌羅西書3:13
___23. 彼此代求	w. 以弗所書4:32
___24. 彼此認罪	x. 加拉太書5:13
___25. 彼此看別人	y. 希伯來書3:13
比自己強	z. 羅馬書1:12
___26. 彼此推讓	a' 羅馬書15:7
___27. 彼此親熱	
___28. 彼此追求善良	
___29. 彼此相合團結	
___30. 彼此聖潔問安	

二、反面（不要彼此……）：　　　　（經文）

＿ 1.彼此爭大	a. 羅馬書　　　14:13
＿ 2.彼此相恨	b. 加拉太書　　　5:26
＿ 3.彼此埋怨	c. 歌羅西書　　　3:9
＿ 4.彼此說謊	d. 雅各書　　　　4:11
＿ 5.彼此批評	e. 馬可福音　　　9:34
＿ 6.彼此論斷	f. 哥林多前書　　1:10
＿ 7.彼此陷害	g. 雅各書　　　　5:9
＿ 8.彼此吞咬消滅	h. 約翰福音　　　5:44
＿ 9.彼此惹氣	i. 加拉太書　　　5:15
＿10.彼此嫉妒	j. 馬太福音　　24:10
＿11.彼此分黨	k. 提多書　　　　3:3
＿12.彼此受榮耀	

③這個星期再溫習背熟新約的目錄：從「馬太
福音」到「啟示錄」。試抽其中一卷，然後
講出前後兩卷的書名。

6

為主作見證

你是誰？聖經說：

1. 「你們是 _____ 。」（馬太福音5:13）

2. 「你們是 _____ 。」（馬太福音5:14）

3. 「你們作 _____ 。」（使徒行傳1:8）

「甚麼？我要為主作見證？」

作基督徒是不能隱藏的。不論是主動的或

被動的，有意的或無意的，人總會知道你是個基督徒。「基督徒」可以說是「基督在世上的展品」，別人從我們身上去認識主耶穌是怎樣的。主耶穌說，我們在世上是祂的見證（使徒行傳1:8）。因此，我們或多或少，或好或壞，都在見證主耶穌。你有責任為主作見證。

「我不好意思向別人開口！」

如果你有一間新房子，你會害羞別人知道嗎？如果你有一位和藹可親、理家有方的媽媽，你會引以為恥嗎？如果你已經有了理想的終身伴侶，你會隻字不提他（或她）嗎？若是這樣，就實在反常了。主耶穌是你的恩主，祂為你捨命，把新生命賜給你，使你的生命充滿意義、喜樂和平安，這樣，你把祂介紹給別人，會感到不好意思嗎？

「我怕對別人傳講主耶穌！」

如果你真的愛主耶穌，樂意遵行祂的話；如果你真的愛你未信主的家人、親戚、朋友，不願意他們將來永遠滅亡，你就會有膽量向他們傳講主耶穌了，因為：

「愛裏沒有懼怕——愛既完全，就把懼怕除去。」　　　　　　　（約翰壹書4:18）

當你思想到……

1.主的命令：

「你們往普天下去，傳_____給萬民聽。」

（馬可福音16:15）

2.人的光景：

「死在過犯罪惡之中……沒有_____，沒有神。」 （以弗所書2:1、12）

3.你的感受：

「若有人名字沒記在生命冊上（沒有相信耶穌的人），他就被扔在火湖（地獄）裏……晝夜受痛苦，直到_____。」

（啟示錄20:10、15）

有沒有一些家人、親戚、朋友，你迫切希望他們也快些相信耶穌？

姓　　名	是你的：	信主日期（以後填記）
①		
②		
③		
④		

從今日開始，你要多多為他們的信主祈禱！

「我不知道跟他們怎樣講述福音！」

試回想一下你信主的情形；試溫習一下本書

第一課（第8-9頁）的重點。

下面的圖表幫助你扼要地牢記福音的內容：

福音內容	有關經文
1. —— 有神存在	自從造天地以來，神的永能和神性是明明可知的，雖是眼不能見，但藉着所造之物就可以曉得，叫人無可推諉。 •羅馬書1:20
2. —— 神愛你	神愛世人，甚至將祂的獨生子，賜給他們，叫一切信祂的，不至滅亡，反得永生。 •約翰福音3:16
3. —— 你有罪	因為世人都犯了罪，虧缺了神的榮耀。 •羅馬書3:23
4. —— 罪的後果	因為罪的工價乃是死，惟有神的恩賜，在我們的主耶穌基督裏，乃是永生。 •羅馬書6:23
5. —— 基督代贖	惟有基督在我們還作罪人的時候為我們死，神的愛就在此向我們顯明了。 •羅馬書5:8
6. —— 基督復活	耶穌被交給人，是為我們的過犯；復活，是為叫我們稱義。•羅馬書4:25
7. —— 你要信祂	凡接待祂的，就是信祂名的人，祂就賜他們權柄作神的兒女。 •約翰福音1:12

8. —— **得救確據**	你們得救是本乎恩，也因着信，這並不是出於自己，乃是神所賜的；也不是出於行為，免得有人自誇。 　　　　　　　•以弗所書2:8-9 人有了神的兒子就有生命……我將這些話寫給你們信奉神兒子之名的人，要叫你們知道自己有永生。 　　　　　　　•約翰壹書5:12-13

　　此外，你信主的經過也是一個很好、很實在的見證。這裏請你嘗試把你信主的見證寫下來。

　　以下是一些提示：

① 把你的見證分成三部分：（1）你信主前的生活；（2）你信主時的情形；（3）你信主後的改變。

② 每一部分只須提大約五個要點便夠。

③ 每個要點必須清楚、具體；不要用太抽象或屬靈的字眼，叫聽的人容易明白。

④ 先把每個要點分別用一句扼要的話寫出來；然後前後連串成一篇通順的簡短見證（大約八百字或三分鐘左右便夠）。

⑤ 你是在講述自己的情形，不要教訓聽的人。

⑥引用聖經經文要適當，不能過多，有必要時
　須加解釋。

⑦嘗試自己多讀幾遍，然後找一位基督徒朋
　友，或用錄音機來練習，幫助你能客觀的把
　你的見證修改得更好。多練習，以至你可以
　不用看稿紙也能清楚的講出來。

　　請把你信主的見證三部分的要點寫在下面
的表內，然後另用原稿紙把它寫成一篇完整的見
證：

我信主的見證
1.我信主前的生活（人生方向、意義、行為）：
①＿＿＿＿＿＿＿＿＿＿＿＿＿＿＿＿＿＿
②＿＿＿＿＿＿＿＿＿＿＿＿＿＿＿＿＿＿
③＿＿＿＿＿＿＿＿＿＿＿＿＿＿＿＿＿＿
④＿＿＿＿＿＿＿＿＿＿＿＿＿＿＿＿＿＿
⑤＿＿＿＿＿＿＿＿＿＿＿＿＿＿＿＿＿＿
2.我信主時的情形（經過、反應、原因）：
①＿＿＿＿＿＿＿＿＿＿＿＿＿＿＿＿＿＿
②＿＿＿＿＿＿＿＿＿＿＿＿＿＿＿＿＿＿
③＿＿＿＿＿＿＿＿＿＿＿＿＿＿＿＿＿＿
④＿＿＿＿＿＿＿＿＿＿＿＿＿＿＿＿＿＿
⑤＿＿＿＿＿＿＿＿＿＿＿＿＿＿＿＿＿＿

3.我信主後的改變（態度行為、生活動力）：

① _____

② _____

③ _____

④ _____

⑤ _____

　　願這個練習幫助你重溫主的愛；又願你的見證能成為別人的祝福！

　　最後還有一些提醒。當你要向人傳講主耶穌的時候，記着

① 先祈禱，倚靠主耶穌，祂會給你勇氣和能力。

② 事先思想一下怎樣跟對方講，甚至可以先把要講的重點簡單寫下；嘗試運用你信主的見證。

③ 最好跟對方單獨談；避免周圍環境的騷擾。

_____

習作：

① 請背熟馬可福音16:15「你們往普天下去，傳福音給萬民聽。」

② 寫你信主的見證（參見上文）。

③ 這個星期開始背舊約聖經的目錄，這次從「創世記」背到「以斯帖記」。

④聖經中記載了一些樂於傳講主耶穌的人，他們是誰？（請用線把答案連起來）

a.約翰福音　1:29-37　　　　　•　•1.一個婦人

b.約翰福音　4:7、28-30　　　•　•2.司提反

c.使徒行傳　7:2-53　　　　　•　•3.施洗約翰

d.使徒行傳　8:26-35　　　　•　•4.彼得

e.使徒行傳　10:34-43　　　•　•5.腓利

f.使徒行傳　17:22-31　　　•　•6.以巴弗

g.歌羅西書　1:7　　　　　　•　•7.保羅

7

聖靈的果子

「果子」一詞在聖經中有很多方面的意思：

A **按字面直解**——就是樹木所結的果實：

「凡好樹都結＿＿＿果子；惟獨壞樹結＿＿＿
果子。」　　　　　　　　　　　　　（馬太福音7:17）

B **按象徵意義——**

1. 指行為、工作或教訓：

「憑着他們的_____就可認出他們來。」

（馬太福音7:16）

2. 指人相信耶穌後所得生命的改變：

「現今你們既從罪裏得了釋放，作了神的奴僕，就有_____的果子，那結局就是『永生』。」 （羅馬書6:22）

3. 指傳福音工作的果效：

「弟兄們，我不願意你們不知道，我屢次定意往你們那裏去，要在你們中間得些果子，如同在其餘的_____中一樣。」

（羅馬書1:13）

4. 指信徒對神的感謝讚美：

「我們應當靠着耶穌，常常以頌讚為____獻給神，這就是那承認主名之人_____的果子。」 （希伯來書13:15）

5. 指信徒事奉神所得的賞賜：

「我並不求甚麼餽送，所求的就是你們的果子漸漸增多，歸在你們的____上。」

（腓立比書4:17）

6.指信徒生活的表現：

* 「聖靈所結的果子，就是_____、_____、

_____、_____、_____、_____、_____、

_____、_____；這樣的事沒有律法禁止。」

（加拉太書5:22-23）

* 「從前你們是暗昧的，但如今在主裏面是

光明的，行事為人就當像光明的子女。光

明所結的果子，就是一切_____、_____、

_____。」　　　　　　　（以弗所書5:8-9）

* 「惟獨從上頭來的智慧，先是_____，後

是_____、_____，滿有_____，

多結_____，沒有_____，沒有_____；

這是使人和平的人，用和平所栽種出來的

義果。」　　　　　　　　　　（雅各書3:17 -18）

* 哥林多後書9:10和腓立比書1:11，那裏又提

到_____的果子。

　　「你是怎樣的人」比「你做了甚麼事」更

重要，所以這一課請你特別注意第6點「信徒生

活的表現」，也就是「聖靈的果子」。

聖靈是三位一體真神（聖父、聖子主耶穌、聖靈）中的第三位。「聖靈的果子」是指信徒因順服聖靈的引導和管理而在生活上有的感受和表現。

①作為基督徒，在生活上你應該有神的形象：
「你們學了基督……就要脫去你們從前行為上的舊人……將你們的心志改換一新，並且穿上新人；這新人是照着神的形象造的，有＿＿＿＿的＿＿＿＿和＿＿＿＿。」

（以弗所書4:20-24）

②作為神的兒女，在生活上你應該有神的性情：
「神……叫我們既脫離世上從情慾來的敗壞，就得與神的性情＿＿＿＿。」

（彼得後書1:3-4）

因此，你可以、你應該在生活上有合神心意的表現──這裏稱為「聖靈的果子」。

歸根究底，又回到「生命」的問題。基督徒是有基督生命的人。他與基督在生命上有緊密的連繫，好像葡萄樹的枝子一樣：

「我（主耶穌）是葡萄樹，你們是枝子……＿＿＿＿＿＿我，你們就不能作甚麼。」

（約翰福音15:5）

你有了神的生命嗎？（有了 / 沒把握）

有了神的生命，就要有相應的生活：

「你們要結出果子來，與＿＿＿＿的心相稱。」

（路加福音3:8）

原來我們當初相信耶穌，也是聖靈感動我們去接受祂的：

「我們若是靠着聖靈＿＿＿＿，就當靠着聖靈＿＿＿＿。」　　　（加拉太書5:25）

靠着聖靈行事就能結出聖靈的果子來。說到「果子」，我們知道：

① 樹木必須先有生命，才能結出果子；人必須先有神的生命，才能結出聖靈的果子。

② 有怎樣的生命，就有怎樣的果子；有怎樣的屬靈生命（健康或軟弱），就有怎樣的生活表現。

③ 果子是生命自然的結果，是模仿不來的。

④ 一旦果子有問題，不要硬在外表掩飾或假裝，應該反省自己的屬靈生命是否有毛病。

所以，要能多結出聖靈的果子，你必須：

① 多認識神的話，好使你知道神要求你有怎樣的生活。

② 有順服的心，敏感於聖靈的感動和引導。

③若犯了罪，你要及時求神赦免，求祂給你更新的力量，再次站立起來。

④客觀及樂於考慮別人對你生活的批評或提醒。神會藉着別人來教導你。

　　這裏，我們集中看一看加拉太書5:22-23所提及的聖靈的果子及它所包含的豐富意思：

聖靈的果子	包括了：
仁愛	愛心、捨己、犧牲、憐憫、饒恕、接納……
喜樂	滿足、感恩
和平	與神和好：平安、信靠 與人和睦：隨和 自己安寧：把握、平穩
忍耐	寬容、堅忍、恆心
恩慈	慈心、和藹
良善	助人、寬宏
信實	可靠、守時、正義
溫柔	謙卑
節制	自律、不走極端

注意：──

①這裏所提出的九種，只是一些例子而已，還有其他的（參上文第57頁的經文）。

②基督徒要在各方面平衡發展，不要單追求其中某一種。

　　這一切美德，我們在基督身上都可以看見。聖靈來，叫我們的生活流露出這些果子，就是要我們反映出主的榮美：

> 「我們……得以看見主的榮光，好像從鏡子裏返照，就變成主的＿＿＿＿，榮上加榮，如同從主的靈變成的。」

（哥林多後書3:18）

　　但願你順服聖靈的引導和管理，結出聖靈的果子來。

習作：

① 請背熟加拉太書5:22-23「聖靈所結的果子，就是仁愛、喜樂、和平、忍耐、恩慈、良善、信實、溫柔、節制；這樣的事沒有律法禁止。」

② 請繼續背舊約聖經的目錄，從「約伯記」背到「但以理書」。

③ 聖靈除了能在你身上結出美好的果子外，聖經還提到你與聖靈的另外一些關係：

經文	你與聖靈的關係
約翰福音16:7-8	叫我知道自己有罪
約翰福音3:5-8	

約翰福音14:16-17	
約翰福音14:26	
約翰福音16:12-13	
使徒行傳1:8	
羅馬書5:5	
羅馬書8:14	
羅馬書8:16	
羅馬書8:26-27	
哥林多前書2:9-15	
哥林多前書6:19	
哥林多前書12:11	
加拉太書5:16	
以弗所書1:13-14	
以弗所書4:30	我不要
以弗所書5:18	我要
以弗所書6:18	
帖撒羅尼迦前書5:19	我不要
約翰壹書4:13	

　　其實還有多處經文，但以上一點點已經足以叫你看見聖靈和你是多麼的親密！

8

讀經生活

嬰孩是須要吃奶長大的。同樣，在基督裏的新生命，也須要靠奶（神的話語）來長大：

「要愛慕那純淨的靈奶，好像纔生的嬰孩愛慕奶一樣，叫你們因此_____，以致得救。」

（彼得前書2:2）

　　神的話語（聖經）是你屬靈生命的食物，你要：1. 每日進食──每日用些時間來讀聖經；

　　2. 由易消化的開始──先從新約開始，不明白的經文，嘗試去找一些解釋。

　　3. 不要偏食──目標是讀完全本聖經；

　　4. 有計劃來食──用方法幫助你去讀。

　　這一課的中心「讀經生活」與第三課的「靈修生活」有些不同：

靈修生活	讀經生活
着重敬拜、支取力量	着重知識、學習
須要一段完整的時間一個安靜的地方	任何空間、甚至零碎的時間，任何地方
須要去默想、反省	着重快讀、須要去記憶

　　這裏的讀經，目的是希望你能盡早讀完全本新舊約聖經一次，好叫你對整本聖經的內容作一次概覽，有一個概念。當你有一個整體的概念時，你就會較容易明白整本聖經其中的一段的意思。

聖經分為新舊約，共66卷、1189章、31173節；

　　　舊約：　39卷　　929章　　23214節

　　　新約：　27卷　　260章　　7959節

歷時約1600年；經約35位不同地位、背景、學識、性格、職業、年代的作者，在聖靈的默示

下，無誤地寫成，傳達同一個中心：耶穌基督是救主。

　　以下是一些建議：

1. 先從新約開始，你不妨隨身攜帶一本袖珍的新約聖經，利用空隙時間來閱讀。

2. 用書簽夾在看完的位置，便利下次讀時翻閱。

3. 隨身帶備筆和薄作記錄。

4. 利用下面提供的「讀經記錄表」，幫助你記得你的進度，盡快讀過全本聖經一遍。

5. 每次讀過一章聖經（不論是靈修、讀經、各種聚會），就在該章聖經前作記號。若干時間之後，你會發覺你比較少看了哪部分。

6. 用筆（如紅色原子筆）劃下你想背熟的經文。這也有助於以後翻找那節經文。

7. 讀過全本聖經一遍後，請你嘗試繼續按第69頁提供的「按序讀經表」依聖經史實發生先後的次序來讀經。這會幫助你明白聖經歷史的前後連貫。

　　（表一）「**讀經記錄表**」

每讀完一章，劃掉該章；讀完全卷，寫下讀完日期，讀完全本聖經，更應作個記錄：

一、新約聖經

各卷　　　　　　章數

太　1 2 3 4 5 6 7 8 9 10 11 12 13 14 15 16 17 18 19 20 21 22 23 24 25 26 27 28

可　1 2 3 4 5 6 7 8 9 10 11 12 13 14 15 16

路　1 2 3 4 5 6 7 8 9 10 11 12 13 14 15 16 17 18 19 20 21 22 23 24

約　1 2 3 4 5 6 7 8 9 10 11 12 13 14 15 16 17 18 19 20 21

徒　1 2 3 4 5 6 7 8 9 10 11 12 13 14 15 16 17 18 19 20 21 22 23 24 25 26 27 28

羅　1 2 3 4 5 6 7 8 9 10 11 12 13 14 15 16

林前　1 2 3 4 5 6 7 8 9 10 11 12 13 14 15 16

林後　1 2 3 4 5 6 7 8 9 10 11 12 13

加　1 2 3 4 5 6

弗　1 2 3 4 5 6

腓　1 2 3 4

西　1 2 3 4

帖前　1 2 3 4 5

帖後　1 2 3

提前　1 2 3 4 5 6

提後　1 2 3 4

多　1 2 3

門　1

來　1 2 3 4 5 6 7 8 9 10 11 12 13

雅　1 2 3 4 5

彼前　1 2 3 4 5

彼後　1 2 3

約壹　1 2 3 4 5

約貳　1

約叁　1

猶　1

啟　1 2 3 4 5 6 7 8 9 10 11 12 13 14 15 16 17 18 19 20 21 22

二、舊約聖經

| 創 | 1 2 3 4 5 6 7 8 9 10 11 12 13 14 15 16 17 18 19 20 21 22 23 24 25 26 27 28 29 30 31 32 33 34 35 36 37 38 39 40 41 42 43 44 45 46 47 48 49 50 |

創　1 2 3 4 5 6 7 8 9 10 11 12 13 14 15 16 17 18 19 20 21
　　22 23 24 25 26 27 28 29 30 31 32 33 34 35 36 37 38 39
　　40 41 42 43 44 45 46 47 48 49 50

出　1 2 3 4 5 6 7 8 9 10 11 12 13 14 15 16 17 18 19 20 21
　　22 23 24 25 26 27 28 29 30 31 32 33 34 35 36 37 38 39
　　40

利　1 2 3 4 5 6 7 8 9 10 11 12 13 14 15 16 17 18 19 20 21
　　22 23 24 25 26 27

民　1 2 3 4 5 6 7 8 9 10 11 12 13 14 15 16 17 18 19 20 21
　　22 23 24 25 26 27 28 29 30 31 32 33 34 35 36

申　1 2 3 4 5 6 7 8 9 10 11 12 13 14 15 16 17 18 19 20 21
　　22 23 24 25 26 27 28 29 30 31 32 33 34

書　1 2 3 4 5 6 7 8 9 10 11 12 13 14 15 16 17 18 19 20 21
　　22 23 24

士　1 2 3 4 5 6 7 8 9 10 11 12 13 14 15 16 17 18 19 20 21

得　1 2 3 4

撒上　1 2 3 4 5 6 7 8 9 10 11 12 13 14 15 16 17 18 19 20 21
　　22 23 24 25 26 27 28 29 30 31

撒下　1 2 3 4 5 6 7 8 9 10 11 12 13 14 15 16 17 18 19 20 21
　　22 23 24

王上　1 2 3 4 5 6 7 8 9 10 11 12 13 14 15 16 17 18 19 20 21
　　22

王下　1 2 3 4 5 6 7 8 9 10 11 12 13 14 15 16 17 18 19 20 21
　　22 23 24 25

代上　1 2 3 4 5 6 7 8 9 10 11 12 13 14 15 16 17 18 19 20 21
　　22 23 24 25 26 27 28 29

代下　1 2 3 4 5 6 7 8 9 10 11 12 13 14 15 16 17 18 19 20 21
　　22 23 24 25 26 27 28 29 30 31 32 33 34 35 36

拉　1 2 3 4 5 6 7 8 9 10

尼　1 2 3 4 5 6 7 8 9 10 11 12 13

斯　1 2 3 4 5 6 7 8 9 10

伯　1 2 3 4 5 6 7 8 9 10 11 12 13 14 15 16 17 18 19 20 21
　　22 23 24 25 26 27 28 29 30 31 32 33 34 35 36 37 38 39
　　40 41 42

詩　1 2 3 4 5 6 7 8 9 10 11 12 13 14 15 16 17 18 19 20 21
　　22 23 24 25 26 27 28 29 30 31 32 33 34 35 36 37 38 39
　　40 41 42 43 44 45 46 47 48 49 50 51 52 53 54 55 56 57
　　58 59 60 61 62 63 64 65 66 67 68 69 70 71 72 73 74 75
　　76 77 78 79 80 81 82 83 84 85 86 87 88 89 90 91 92 93
　　94 95 96 97 98 99 100 101 102 103 104 105 106 107 108
　　109 110 111 112 113 114 115 116 117 118 119 120 121
　　122 123 124 125 126 127 128 129 130 131 132 133 134
　　135 136 137 138 139 140 141 142 143 144 145 146 147
　　148 149 150

箴　1 2 3 4 5 6 7 8 9 10 11 12 13 14 15 16 17 18 19 20 21
　　22 23 24 25 26 27 28 29 30 31

傳　1 2 3 4 5 6 7 8 9 10 11 12

歌　1 2 3 4 5 6 7 8

賽　1 2 3 4 5 6 7 8 9 10 11 12 13 14 15 16 17 18 19 20 21
　　22 23 24 25 26 27 28 29 30 31 32 33 34 35 36 37 38 39
　　40 41 42 43 44 45 46 47 48 49 50 51 52 53 54 55 56 57
　　58 59 60 61 62 63 64 65 66

耶　1 2 3 4 5 6 7 8 9 10 11 12 13 14 15 16 17 18 19 20 21
　　22 23 24 25 26 27 28 29 30 31 32 33 34 35 36 37 38 39
　　40 41 42 43 44 45 46 47 48 49 50 51 52

哀　1 2 3 4 5

結　1 2 3 4 5 6 7 8 9 10 11 12 13 14 15 16 17 18 19 20 21
　　22 23 24 25 26 27 28 29 30 31 32 33 34 35 36 37 38 39
　　40 41 42 43 44 45 46 47 48

但　1 2 3 4 5 6 7 8 9 10 11 12

何　1 2 3 4 5 6 7 8 9 10 11 12 13 14

珥　1 2 3

摩　1 2 3 4 5 6 7 8 9

俄　1
拿　1 2 3 4
彌　1 2 3 4 5 6 7
鴻　1 2 3
哈　1 2 3
番　1 2 3
該　1 2
亞　1 2 3 4 5 6 7 8 9 10 11 12 13 14
瑪　1 2 3 4

〔第一次讀完全本聖經：＿＿＿＿＿＿〕

（表二）「按序讀經表」

1. 這圖表把聖經經文稍再編排，使相關的經文按次序組織在一起，幫助明白前後史實的關連。

2. 這裏編排的次序，不一定表示它寫作年代的先後，重點只在史實發生的先後。

3. 若依這圖表每星期讀一橫行（28章÷7＝平均每日讀四章），44個星期可讀完聖經一次。

4. 圖表的方格若有兩個數目字，則依次為章和節；節碼前有黑點表示讀到該節為止，黑點在節碼後則表示從該節讀起，讀完該章。

5. 讀完一章，劃掉該格，以記錄你的進度。每年若用不同顏色筆塗劃，這圖表可作多次使用。

一、舊約部分：創

	2	3	4	5	6	7	8	9	10	11	12	13	14	15	16	17	18	19	20	21	22
伯	8	9	10	11	12	13	14	15	16	17	18	19	20	21	22	23	24	25	26	27	28
29	16	17	18	19	20	21	22	23	24	25	26	27	28	29	30	31	32	33	34	35	36
37	39	40	41	42	43	44	45	46	47	48	49	50	出1	2	3	4	5	6	7	8	14
15	16	17	出	50	49	48	47	46	45	44	43	42	41	40	39	38	37	36	35	34	利
2	3	4	詩34	25	26	27	28	29	30	31	32	33	34	35	36	37	38	39	40	民0	2
30	3	4	土	2	5	6	7	8	書1	9	10	11	12	13	14	15	16	17	18	民1	30
22	24	25	23	22	23	24	25	甲1	書1	8	9	10	11	12	13	14	15	16	17	18	22
15	17	18	16	4	5	6	7	8	9	10	11	12	13	14	15	16	17	18	19	20	15
19	21	20	詩1	得1	2	3	4	撒上1	2	3	4	5	6	7	8	9	10	11	12	14	19
詩59	7	詩30下14	撒19上12	撒34	詩22上1-2	詩52:3	撒22上1	撒24上	詩3	撒16下	詩64	詩23	詩21下	詩16上14	撒16下	詩23	22	詩18下	詩23	民11	詩59
7	6	5	4	3	2	撒上1	15	14	13	12	11	10	9	8	7	6	5	4	3	2	7
24	23	22	18下15	51	52	64	69	70	63	64	16下	17	18	19	20	21	22	23	24	撒下23	24
38	37	36	7	6	5	4	3	2	21	22	24	25	26	27	28	29	31	35	36	37	38
4	3	2	王上1	145	144	143	141	140	139	138	110	109	108	103	101	86	72	68	65	62	61	58	55	53	41

箴1	28	27	26	25	24	23	22	21	20	19	18	17	16	15	14	13	12	11	10	9	8	7	6	5	4	3	2
29	10	9	8	7	6	5	4	3	2	傅	11	10	9	8	7	6	王上5	8	7	6	5	4	3	2	歌1	31	30
11	拿1	14•25	13	12	11	10	9	8	7	6	5	4	3	2	書15	22	21	20	19	18	17	16	15	14	王上14 上26•	王上2	21
2	33	10	2	詩	25	24	23	22	21	20	19	18	17	16	書14 上26•	9	8	7	6	5	4	3	2	摩1	王上2 上26	4	2
43	120	119	118	117	116	115	114	113	112	111	106	105	104	102	100	99	98	97	96	95	94	93	92	89	71	67	66
121	8	7	6	5	4	3	2	代上1	150	149	148	147	146	136	135	134	133	132	131	130	129	128	127	125	124	123	122
9	84	83	82	81	80	79	78	77	76	75	74	73	50	49	48	47	46	45	44	43	42	41	40	39	38	37	36
85	12	11	10	9	代下26 79•9	7	6	5	4	3	2	代下1	29	28	27	26	25	24	23	22	21	20	19	18	17	15	14
13	29	28	代下27	賽6 9•	27	26	25	24	23	22	21	20	19	18	代下23	16	15	14	13	12	11	10	9	8	賽7	2	番1
30	31	30	29	28	27	26	25	24	23	22	26•8	25	24	代下23	3	2	珥1	代下22	哈1	俄35	3	2	番1	17	16	15	14
32	59	58	57	56	55	54	53	52	51	50	49	48	47	46	45	44	43	42	41	40	39	38	37	36	35	34	33
60	7	6	5	4	3	2	彌1	14	13	12	11	10	9	8	7	6	5	4	3	2	何1	66	65	64	63	62	61
鴻	16	15	14	13	12	11	10	9	8	7	6	5	4	3	2	耶1	15	14	13	12	11	10	9	8	賽1	2	鴻
17	44	43	42	41	40	39	38	37	36	35	34	33	32	31	30	29	28	27	26	25	24	23	22	21	20	19	18
45	詩37 79•21	代下 79•37	12	11	10	9	8	7	6	5	4	3	2	代下36 79•8	5	4	3	2	哀1	52	51	50	49	48	47	46	45

舊約／新約讀經進度表

28	27	26	25	24	23	22	21	20	19	18	17	16	15	14	13	12	11	10	9	8	7	6	5	4	3	2
8	7	6	5	4	3	2	斯1	48	47	46	45	44	43	42	41	40	39	38	37	36	35	34	33	32	31	30
6	拉5下2	詩107／126	14	14	13	12	11	10	9	8	7	6	5	4	3	2	亞1	2	該1	5下1	4	3	2	拉1	代36下22	10
—	—	—	—	—	—	—	4	3	2	瑪1	13	12	11	10	9	8	7	6	5	4	3	2	厄1	10	9	8
22	21	20	19	18	17	16	15	14	13	12	11	10	9	8	7	6	5	4	3	2	太1	二、新約部分：	27	26	25	24
6	5	4	3	2	路1	16	15	14	13	12	11	10	9	8	7	6	5	4	3	2	可1	28	11	10	9	8
10	9	8	7	6	5	4	3	2	約1	24	23	22	21	20	19	18	17	16	15	14	13	12	15	14	13	12
3	2	雅1	14	13	12	11	10	9	8	7	6	5	4	3	2	徒1	21	20	19	18	17	16	3	2	加1	5
3	2	林前1	18下11	徒17下11	3	2	帖後	5	4	3	2	帖前	徒17下10	4	3	2	腓1	16	徒15	6	5	4	西1	28	3	2
19	徒18下12	13	12	11	10	9	8	7	6	5	4	3	2	林後1	16	15	14	13	12	11	10	9	8	7	6	5
24	23	22	21	徒20下3	16	15	14	13	12	11	10	9	8	7	6	5	4	3	2	羅1	徒20下1-2	6	5	4	3	2
6	5	4	3	2	提前	13	12	11	10	9	8	7	6	5	4	3	2	來1	鬥1	4	3	2	5	28	27	26
5	4	3	2	啟1	猶1	約三	約二	5	4	3	彼後	約1	3	2	彼前	5	4	3	2	彼前	3	2	多1	4	3	2
—	—	—	—	—	—	—	—	—	—	—	22	21	20	19	18	17	16	15	14	13	12	11	10	9	8	7

____年____月____日至____年____月____日

習作：

① 請背熟詩119:11「我將你的話藏在心裏，免得我得罪你。」

② 請繼續背舊約聖經的目錄，從「何西阿書」到「瑪拉基書」。

③ 聖經不但是你屬靈生命的食物，也是你各方面的需要。請翻看下列經文，看看聖經對你有甚麼作用：

經文	把聖經比喻作	作用
彼得前書2:2	靈奶	幫助長大
詩篇119:105	1._____	生活指引
	2._____	
希伯來書4:12	_____	辨明人的思想
雅各書1:23	_____	反映人的光景
以弗所書6:17	_____	自衛、攻擊

④ 請開始你的讀經生活。

9

祈禱生活

　　人是需要説話的。説話可以訓練一個人思想和表達的能力；説話可以抒發一個人的情緒，鬆馳一個人精神和心理的抑壓；藉着説話，人可以表達他的喜樂，傾吐他的需要。「祈禱」就是基督徒與神談話。作為基督徒，祈禱是不可少的。

祈禱的需要

1. 這是神的吩咐：

「要＿＿＿＿禱告。」 （路加福音18:1）

「＿＿＿＿＿＿的禱告。」

（帖撒羅尼迦前書5:17）

「靠着聖靈，＿＿＿＿＿＿禱告祈求。」

（以弗所書6:18）

神願意你藉着禱告多親近祂。

2. 這是你的需要：

① 是你把重擔、憂慮交託給神的方法——
「你們要將一切的憂慮卸給神，因為祂
＿＿＿＿你們。」 （彼得前書5:7）

② 是你尋求神的旨意和引導的途徑——
「你們祈求，就給你們；尋求，就＿＿＿＿
＿；叩門，就給你們＿＿＿＿。」

（馬太福音7:7）

③ 是你得着能力和幫助的方法——
「我們只管坦然無懼的來到施恩的寶座
前，為要得＿＿＿＿、蒙＿＿＿＿，作隨時的幫
助。」 （希伯來書4:16）

你可以藉着禱告多親近神。

祈禱的內容

祈禱既然是與神交談，就可以説是無所不談的了。祈禱的內容大致上可劃分為五方面：

1. 讚美：為神的本性、作為讚美神；
2. 感恩：為神的恩典感謝神；
3. 祈求：為自己的需要而懇求神；
4. 代求：為別人的需要而懇求神；
5. 認罪：為自己的過犯而求神赦免。

下面的經文提及祈禱哪幾方面的內容？——
① 腓立比書4:6；
② 提摩太前書2:1–2。

祈禱的回答

我們的神是一位活的神，祂會回答每一個祈禱。祂會用三種方法來回答：

① 可以 (YES)——神願意答允禱告；
② 不可以 (NO)——神拒絕答允禱告；
③ 請等一等 (WAIT)——神押後答允禱告。

因此，我們不要貿然説神不聽禱告。這又關係到另一個問題……

祈禱的態度

1. 必須用信心來祈禱：

「只要憑着信心求，一點不_____。」

（雅各書1:6）

2. **必須有正確的動機：**

「你們得不着，是因為你們不求；你們求
也得不着，是因為你們_____。」

（雅各書4:2-3）

3. **必須先對付清楚你的罪：**

「我若心裏注重罪孽，主必_____。」

（詩篇66:18）

4. **必須按神的旨意來求：**

「我們若照祂的旨意求甚麼，祂就聽我
們，這是我們向祂所存坦然無懼的心。既
然知道祂聽我們一切所求的，就知道我們
所求於祂的_____。」

（約翰壹書5:14-15）

5. **必須有恆切的心：**

「要常常禱告，不可_____。」

（路加福音18:1）

神有時真的不聽祈禱，是嗎？……

祈禱的阻礙

不外是你未曾有上述正確的態度。當你覺
得神不聽你祈禱時，請你先自我反省一下。

我須要祈禱了……

祈禱的實行

最後是在祈禱生活上對你的一些提示：

① 人必須「奉主耶穌的名」來祈禱（約翰福音 14:13），因為只有透過主耶穌，人才能到神面前祈求（約翰福音14:6）。

② 祈禱結束時，我們會說「阿們」或「誠心所願」。「阿們」是音譯，「誠心所願」是意譯。我們這樣說是表示我們的祈禱是出於真誠的。

③ 祈禱既有多方面的內容（參看上文），我們就不要偏重某方面，例如祈禱時不應只會祈求而不知感恩，只會為人祈禱而忘了為自己祈禱。

④ 祈禱不要流於空洞，避免無謂的重覆的話。用語要自然而具體，可以知道神答允了沒有。

⑤ 可以找小組、在家庭或與愛侶、同性別朋友計劃一起祈禱的生活，彼此鼓勵更積極和恆切的禱告。

⑥ 你可以在任何地方和時間，用任何姿勢和話語，為任何事情和人物祈禱。保羅的勸勉是：

「靠着聖靈，隨時多方禱告祈求。」

（以弗所書6:18）

⑦ 試計劃一下你個人的祈禱生活（教會聚會除外）：

1.時間：　（1）靈修時間祈禱；

（2）指定一段時間：＿＿＿＿＿；

（3）隨時祈禱。

2.地方：　（1）靈修的地方；

（2）固定一個地方：＿＿＿＿＿；

（3）任何地方。

3.方法：　試依照下面提供的表格，思想一下怎樣分配你的祈禱事項——

A 經常祈禱事項：每日分別為某類事情經常的代禱。下面的兩種方法，你喜歡哪一種？

①每日專為一類事情祈禱，例如：

星期	一	二	三	四	五	六	日
祈禱事項分類	家人親戚	教會事奉	宣教工作	同學朋友	福音機構	中國大陸	各項聚會

② 每日都記念各類事情中的一項，例如：

星期	一	二	三	四	五	六	日
家人	①	②	③	④	⑤	⑥	⑦
朋友	（1）	（2）	（3）	（4）	（5）	（6）	（7）
教會工作	A	B	C	D	E	F	G
福音工作	a	b	c	d	e	f	g

B **每日祈禱事項**：每日都記念直到神回答的
事情。每月一張表記錄。神應允了的事
情，用個✓號表示（亦可寫下神應允的日
期）；未應允的事情，在下一個月繼續祈
禱，用→表示。

年　　　月		(✓)	(→)
日期	事　　項	應允	繼續

習作

① 請背熟腓立比書4:6-7「應當一無掛慮，只要
凡事藉着禱告、祈求和感謝，將你們所要的
告訴神，神所賜出人意外的平安，必在基督
耶穌裏保守你們的心懷意念。」

②請嘗試把這一個星期你要祈禱的事情具體的
　按點寫出來——需要具體的寫：

```
_____ :

1.讚美　①_____

　　　　②_____

2.感謝　①_____

　　　　②_____

3.祈求　①_____

　　　　②_____

4.代求　①_____

　　　　②_____

5.認罪　①_____

　　　　②_____

　　　　　奉 _____求，

　　　　　　　　_____！
```

③試依本課提供的表格，計劃你的祈禱生活。

④試把握一次機會，公開開聲的禱告。

⑤請從頭溫習一下全本聖經的目錄。

10

金錢的使用

你有沒有思想過為甚麼你會擁有一些財物？
你又有沒有仔細思想怎樣來使用它們？記着：

「你要以財物和一切初熟的土產，尊榮耶
和華。」

（箴言3:9）

　　下面這些人，誰做得好？誰做錯了？請分別用✓和✗來表示：

__1.巴拿巴（使徒行傳4:36-37）

__2.猶大（馬太福音26:14-16）

__3.巴蘭（猶大書11；民數記22:2-35）

__4.多加（使徒行傳9:36）

__5.亞拿尼亞、撒非喇（使徒行傳5:1-11）

__6.約亞拿、蘇撒拿等婦女（路加福音8:3）

　　可見問題不在錢財或物質本身，而在人自己怎樣去追求或使用它們。因此，神看重人過於物質錢財。祂要基督徒先把「自己」作為「活祭」獻給祂（羅馬書12:1；參看本書第二課「生命的主」）。請反省一下，在過去的數週中你有沒有以基督為你生命的主？

　　作為活「祭」：你要一次過把生命獻給神；

　　作為「活」祭：你要不斷的把生活獻給神。

　　錢財的使用能反映出一個人對神的心。

　　關於金錢和物質，基督徒應有這樣的認識：

1. 一切本來都是屬神——

　　「樹林中的百獸是我的，千山上的牲畜也是

我的……世界和其中所____，都是我的。」

　　　　　　　　　　　　（詩篇50:10、12）

　　「我赤身出於母胎，也必赤身歸回；____
　　的是耶和華，____的也是耶和華。耶和華
　　的名是應當稱頌的。」　　　（約伯記1:21）

2. 你所有的，是神交託你好好運用的——

　　「各樣美善的恩賜，和各樣全備的賞賜，
　　都是從____來的。」　　　（雅各書1:17）

3. 生命比錢財更重要——

　　「人若賺得____，賠上自己的生命，有甚
　　麼益處呢？」　　　　　（馬太福音16:26）

4. 對財物要有知足的心——

　　「然而____加上____的心便是大利了。因
　　為我們沒有帶甚麼到世上來，也不能帶甚
　　麼去。只要_____就當知足。」

　　　　　　　　　　　　　（提摩太書6:6-8）

5. 要取得其所，用得其所，才有價值——

　　「____是萬惡之根；有人貪戀錢財，就被引
　　誘離了真道，用許多____把自己刺透了。」

　　　　　　　　　　　　　（提摩太前書6:10）

　　「____比____更為有福。」（使徒行傳20:35）

6. 不要依靠財物，乃要依靠賜你財物的神——

　　「……不要倚靠____的錢財，只要倚靠那

厚賜百物給我們享受的神。」

（提摩太前書6:17）

7. 屬神的部分要歸給神（奉獻）——

「神的物當歸給神。」（馬太福音22:21）

總括來説，在不牴觸上面的原則之下，你可以——**盡量賺取；**

盡量儲蓄；

盡量使用；但還有……

盡量奉獻！在金錢上表示你對神的愛心！

十一奉獻

請再翻看前面第83頁箴言3:9的經文。你要透過你的財物尊榮神。在這裏特別請你學習一樣很重要的奉獻：「**十一奉獻**」，就是把你每月收入的十分之一奉獻給教會，好發展教會的工作。

請先看看聖經中記載十一奉獻的情形——

A.列祖時代（他們自發的提出獻上十分之一）：

1. 亞伯拉罕奉獻十分之一給至高神的祭司麥基洗德（創世記14:20）

2. 雅各許願奉獻十分之一給神（創世記28:22）

B.摩西時代（百姓定規的獻上超過十分之一）：|

分類		當獻之物	收受者	經文
律法規定	獻祭	1. 贖罪祭等：必需的 　　　　為與神復和 2. 平安祭等：甘心的 　　　　為感謝神恩 3. 節期等等：指定的 　　　　為紀念神恩	神	利未記 4:-6: 1:-3: 23:等
	頭生	1. 男子（要贖回） 2. 雄性的牲畜 3. 初熟的土產		出埃及記 13:1、12、 13、15
	慈惠	每第三年的土產 　　　　的十分之一	貧苦及 孤寡者	申命記 14:28-29
	十分之一	1. ①田地所出的 　②五穀　　}十分 　③新酒　　}之一 　④油 　⑤每第十隻牛羊	神	利未記 27:30-33 申命記 14:22-26 民數記 18:21-24
		2. 所有出產的十分之一	利未人	
舊約末期		因百姓背逆，先知只提 「總收入的十分之一」	神／ 聖殿	瑪拉基書 3:10

c.新約時代（信徒樂意的起碼獻上十分之一）：

　1. 耶穌贊同當時法利賽人恪守十一奉獻

　　　（路加福音11:42；但祂不稱讚他們的動機）

　2. 新約對信徒提出奉獻的原則：

　　　①神對人的要求（路加福音12:48）——

　　　　多給予誰→向誰多取

　　　②人對神的回應（哥林多後書9:7）——

　　　　樂意奉獻→必蒙悅納

　　　其實在神的要求後面，有神更大的應許：

　　　「萬軍之耶和華說：你們要將當納的十分

　　　之一全然送入倉庫，使我家有糧，以此試

　　　試我，是否為你們敞開天上的窗戶傾福與

　　　你們，甚至＿＿＿＿＿＿＿＿。」（瑪拉基書

　　　3:10）一個划算的嘗試！一個值得的投資！

　　　你應該學習每月十一奉獻：

①請你先預算一下你每月的收入與支出的情形。

②在預算支出時，要優先撥出十分之一作奉

　獻：這樣優先，好比將「初熟的土產」（頭

　一部分）獻給神，不要到用餘用剩才給祂。

③若有其他偶然或額外的收入，也應把十分之

　一奉獻給神。

④這十一奉獻是獻給你經常參加的教會作經常費用使用的；教會其他特別奉獻或其他基督教機構的奉獻不包括在內，應該用別的錢來奉獻。

⑤用愛心來奉獻，何必當作「投資」那麼市儈呢！主耶穌把自己完全的給了你，你把多少獻給祂？

習作：

①請背熟哥林多後書9:7「各人要隨本心所酌定的，不要作難，不要勉強，因為捐得樂意的人是神所喜愛的。」

②背頁的圖表幫助你有計劃、有預算的來運用你的金錢，請特別注意「十一奉獻」的一項。求神幫助你從這個月就開始十一奉獻。

③你已經背熟了全部聖經新舊約的目錄了。為了省便起見，寫的時候有時會用簡寫（參看聖經的目錄）。這個星期請你學習聖經各卷的簡寫代用字。以後兩課在引用經文時會用簡寫的書名。

④請讀馬可福音12:41-44；默想一下那位窮寡婦奉獻的榜樣，對你自己有甚麼提醒。

我每月的收支預算		
A.每月收入：		百分比
1. ＿＿＿＿＿＿＿＿	＄＿＿＿＿	＿＿％
2. ＿＿＿＿＿＿＿＿	＄＿＿＿＿	＿＿％
總收入：	＄＿＿＿＿	100％
B. 每月支出：		
1. 固定支出——		
①月捐堂費：	＄＿＿＿＿	10％
②其他奉獻：		
（1）＿＿＿＿	＄＿＿＿＿	＿＿％
（2）＿＿＿＿	＄＿＿＿＿	＿＿％
③住屋：	＄＿＿＿＿	＿＿％
④生活（食、行）：	＄＿＿＿＿	＿＿％
⑤學費：	＄＿＿＿＿	＿＿％
⑥衣服：	＄＿＿＿＿	＿＿％
⑦娛樂：	＄＿＿＿＿	＿＿％
⑧供養父母、家庭：	＄＿＿＿＿	＿＿％
⑨雜用／其他：	＄＿＿＿＿	＿＿％
⑩儲蓄：	＄＿＿＿＿	＿＿％
2. 不固定支出——	＄＿＿＿＿	＿＿％

11

明白神的旨意

試用三分鐘的時間，看看能否走完下面的迷宮：

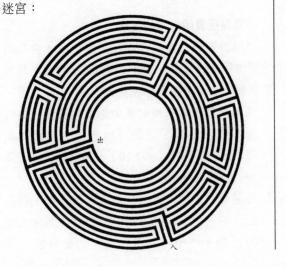

　　人生就如一個大迷宮，每一步都不知道下一步的方向。但神願意與你並肩同行，引導你經過每一個抉擇。明白神的旨意是遵行神的旨意的第一步。

何謂「神的旨意」？

　　簡單來說，「神的旨意」是神對每一個信徒一生的心意或計劃。神安排了你一生的日子，計劃了你一生的路程。你行在神的計劃中，按祂的心意生活，那就是遵行神的旨意了。可見，神的旨意並非高深莫測的理論，而是與你息息相關的週遭事物。

為甚麼要明白神的旨意？

　　你要先明白神的旨意是甚麼，你才會知道怎樣遵行神的旨意。基督徒遵行神的旨意，是他的基督徒生活中最重要的事——

1. **這關係到神的救贖的目的：**神救贖你，為的是要你「行善，就是神所＿＿＿＿＿（預先安排）」叫你行的（弗2:10）。神早已預先安排你的一生；神說祂的安排是「善」的。

2. **這關係到你的人生的方向：**你信靠神，就是把你的一生交託祂，以祂的旨意作為你人生的目標。你不再為自己活，而是為主而活

（林後5:15；加2:20）。

真的可以明白神的旨意嗎？

神既然願意你按他的旨意而生活，他的旨意一定是你可以明白的。

1. 這是神的命令：

「要_____主的旨意如何。」（弗5:17）

既是一個命令，就表示——

①神真願意人明白他的旨意：不然就是騙人的

②你真是可以明白他的旨意：不然就沒有意義

2. 這是神的應許：

「我要教導你，指示你_____，我
要定睛在你身上勸戒你。」　（詩32:8）

既是一個應許，就表示——

①神一定會叫你明白他的旨意

②你一定會明白他的旨意

3. 這是神的工作：

「因為你們_____、_____，都是神
在你們心裏運行，為要成就他的美意。」

（腓2:13）

既是神的工作，就表示——

①那不只是神的理論，他也實行

②那不只是你在努力，神也動工

一些基本的「神的旨意」

（用線把相關的經文連起來）

1. 生活要聖潔，遠避淫行　·　　　·帖前5:16
2. 常常喜樂　　　　　·　　　·帖前5:17
3. 不住禱告　　　　　·　　　·帖前5:18
4. 凡事謝恩　　　　　·　　　·彼前4:19
5. 寧可為主受苦　　　·　　　·帖前4:3

　　除了這些基本的原則外，神更願意引導你生活中每一方面的抉擇。

明白神的旨意的條件

很簡單的一個條件

「你們親近神，神就必親近你們。」

（雅4:8）

　　但這個「親近神」卻包括了幾方面——

1. 生活上：把自己作活祭獻給神，過聖潔、討神喜悦的生活；不作糊塗人，不效法世界。
2. 知識上：努力多方面追求明白神的話。
3. 態度上：順服遵行神的帶領。不要先自我決定，然後要神照辦。同時，神不會一下子叫你明白你一生中的每一件事情，祂會逐步叫你明白。這須要你肯順服。

　　聖經不但説「要明白神的旨意」，更經常

說「要遵行神的旨意」。請你細閱並簽署下面的
「明白神的旨意決意書」，表明你真的願意明白
並遵行神的旨意：

神啊：

① 我已經接受主耶穌基督作我的救主，我生命
　 屬你所有。

② 我願意將自己一生獻上，以基督為我生命和
　 生活的主。

③ 我願意更多追求認識你：使我更敏感於你的
　 旨意。

④ 我知道我的一生在你手中；你按你慈愛的美
　 意已計劃了我的一生；你知道我前面的每一
　 步、每一個問題。

⑤ 我深信你的道路高過我的道路，你的意念高
　 過我的意念；你又願意引導我行在你的旨意
　 之中。

⑥ 我願意對付我的罪，並親近你，謙卑的尋求
　 你的旨意，求你向我顯明。

⑦ 我樂意接受你的旨意，並順服遵行。

　　　　　　　　　簽名：＿＿＿＿＿＿

明白神旨意的方法

*「要**明白**（*suniēmi*）甚麼是主的旨意。」

（弗5:17新譯本）

*「……**察驗**（*dokimazō*）甚麼是神的旨意，就是察驗出甚麼是美好的，蒙祂悅納的和完全的事。」　　　　（羅12:2新譯本）

這兩節經文提示我們明白神的旨意的方法：

明白
（有集合之意）┐⇒ 知道
　　　　　　　　（重點在思考上）┐⇒ 洞察
　　　　　　　　　　　　　　　　　　分析

察驗
（有嘗試之意）┐⇒ 驗證
　　　　　　　　（重點在體驗上）┐⇒ 經歷
　　　　　　　　　　　　　　　　　　試驗

綜合來說（比較西1:9-10）：

搜集資料：分析→知道⇒嘗試：經歷→驗證
　　　　（明白）　　　+　　　（遵行）

明白（思考上）　　　察驗（體驗上）

可見神並沒有局限自己只用某種方法來顯明祂的旨意。

你用以明白神旨意的方法，也就是神向你顯明祂的旨意的方法：

1. **聖經的原則**——這是不變的真理，一切抉擇的大前提。不論是明言的或相關的教訓，都要弄清楚。這是最基本的步驟，因為神對你的帶領必不會違背祂自己的話。

2. **當時的環境**——神會透過環境的順逆給你一些指引。合乎神的旨意，祂必為你開路。這樣，神的攔阻和開路，都同樣是神的指引。因此不要因神攔阻而埋怨神。

3. **別人的意見**——關係到基督徒生活原則方面的問題，不應請教於非基督徒（因為彼此的人生觀、價值觀與人生原則不同），但成熟的基督徒長輩如傳道牧師、導師等，卻可以根據他們對你的認識、對你的問題的認識、對聖經的認識，以及自己的經歷，給你一些意見和指引。

4. **行動的動機**——神不但重視你的決定、工作或行動，祂同樣看重背後的動機。錯誤的動機會抵消了行動的價值和意義。你可以安靜客觀地反省一下你為甚麼要作這樣的決定，別人也可以幫助你分析你的動機；但最重要的是在神面前禱告，聖靈會光照你，叫你知道自己的動機。

5. **聖靈的感動**——神是否將一個特別的負擔放在你心裏，叫你在某方面為祂工作？出於神的負擔是會越來越重的。時間是一個很好的考驗，因此你不必輕舉妄動。配合其他方面一起來思考，你就會知道你的負擔是否出於神的。

6. **自己的能力**——這不是最重要的一環，卻是我們要考慮的因素。神不會隨便叫我們做我

們根本不能做的事情，例如我們完全沒有這方面的訓練、經驗或興趣。我們的事奉要量力而為，除非我們很清楚神的旨意。

7. **行動的後果**——這是更要小心的一步。當你決定了怎樣做之後，後果的對與錯或影響的好與壞，也會給你一些提示。但有些事情是做了就不能再從頭來的（例如結婚），那就不能應用這原則了。

8. **內心的平安**——第1點提到聖經的引導（那是外證），這裏是聖靈的引導（那是內證），在明白神的旨意的過程中，這兩方面是最重要和最具決定性的。凡是合乎神旨意的決定，神會給我們內心的平安，叫我們知道是神所喜悦的。

9. **其他的引導**——我們不敢把神引導人明白祂的旨意的方法局限於上述幾點之內。神在今日仍可以用其他方法來顯明祂的心意。例如祂在今日仍可以用心靈的聲音對人説話，但那是特別的情形了。你若依循上述的各方面來客觀反省思考，你大可以憑信心相信那是神在這件事情上對你的旨意。

　　下面的圖表是要幫助你按步的來分析你的問題，從而明白神的旨意：

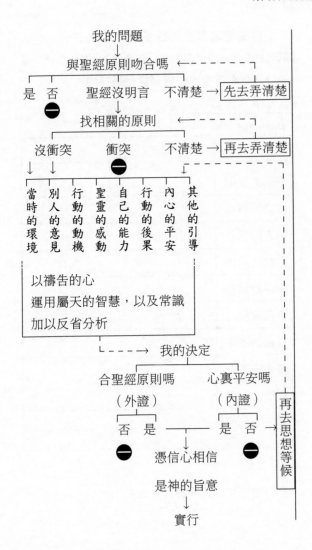

　　這裏建議你把所分析的資料寫下來，這能幫助你更客觀和有條理的去尋求神的旨意，同時能使你更有信心，知道那實在是神的旨意：

我的問題： _____	
聖經的原則	
當時的環境	
別人的意見	
行動的動機	
聖靈的感動	
自己的能力	
行動的後果	
內心的平安	
其他的引導	
憑信心我相信神的旨意是： _____	

惟願你一生行在神的旨意之中！

習作：

① 請背熟弗5:17「不要作糊塗人，要明白主的旨意如何。」

② 若你現在正面對一些抉擇，試依上述的方法，尋求明白神的引導。

③ 你應該已經記熟了聖經的目錄，這一課希望你知道新約各卷的分類（也請你記熟它們）：

歷史		書　信		預言
四福音	教會歷史	保羅書信	普通書信	啟示錄
太→約	徒	羅→門	來→猶	啟

12

得勝的生活

在下面這個圖中，你看見甚麼？一個巫婆？一個少女？

到現在，你作基督徒已有一段日子了。作基督徒是否就甚麼問題都解決了？

是否不會再失敗或犯罪了？

生活的矛盾

不錯，聖經用了一個很美、很重要的詞來稱呼基督徒：「聖徒」、「聖潔」——

「……保羅……寫信給……在基督耶穌裏成_____，蒙召作_____的。」（林前1:1-2）

「神從創立世界以前，在基督裏揀選了我們，使我們在祂面前成為_____，無有瑕疵。」　　　　　　　　　（弗1:4）

但我們要明白聖經用「聖潔」一詞時有兩方面的含義：

① **地位上的聖潔**——人相信了耶穌，罪得以潔淨，不再與神為敵，神看我們已經是聖潔了。

② **生活上的聖潔**——人相信了耶穌，神要我們的生活與聖潔的地位相稱，與聖潔的父神相符：

「你們要聖潔，因為我是聖潔的。」

　　　　　　（彼前1:15-16；參看帖前4:3）

在地位上我們固然是聖潔了，但在生活上我們仍須努力聖潔。原來相信了耶穌的人內裏有兩種性情：

1. 舊人的性情──我們本來的舊性情，要我們
　　　　　　　　去犯罪，得罪神；
2. 新人的性情──相信耶穌後神給我們的新性情，
　　　　　　　　叫我們不要犯罪，討神喜悅。

　　聖經稱第一種性情為「體貼肉體」、稱第二種性情為「體貼聖靈」（羅8:5-11）；情慾與聖靈不斷相爭（加5:16-24），叫我們失敗，連使徒保羅也有這種失敗的經歷（羅7:14-24）！但是「感謝神，靠着我們的主＿＿＿＿＿＿」就能過得勝的生活了（羅7:25）！

試探

　　這種催逼我們去犯罪的力量或壓力，聖經稱它做「試探」。其實試探的來源有幾方面：

1. 魔鬼：他要攻擊所有屬神的人。
　　「你們的仇敵魔鬼如同吼叫的＿＿＿，遍地游行，尋找可吞吃的人。」　　　（彼前5:8）
2. 情慾：就是上述的「舊人的性情」。
　　「各人被試探，乃是被自己的私慾＿＿＿＿誘惑。」　　　　　　　　　　（雅1:14）
3. 世界：這是指世界上的潮流、主義、觀念。
　　「不要愛世界和世界上的事⋯⋯世界上的事就像＿＿＿的情慾、＿＿＿的情慾並今

生的_____，都不是從父來的，乃是從
世界來的。」 （約壹2:15-16）

試煉

但你不要說是神試探你：

「人被試探，不可說『我是被神試探』，
因為神不能被惡試探，祂也不試探人。」

（雅1:13）

神會用困難來考驗你，聖經稱作「試煉」，
「試煉」與「試探」大不相同：

試 煉	試 探
目的是善的：	目的是惡的：
為要叫人長進成熟	為要叫人犯罪跌倒
信心堅固	信心敗壞
得賞賜	失掉賞賜
榮耀神	羞辱神
從神而來	從魔鬼等而來

圖表中說「試煉」是從神而來，「試探」
則從魔鬼而來，原則上是對的。但我們要知道，
神可以使用魔鬼的試探來試煉我們，而魔鬼也會
趁神的試煉來試探我們。因此，當我們面臨困難
考驗時，大可以不必去分析它究竟是試煉還是試

探，總之我們若靠着主耶穌得勝了，就能叫我們長進成熟，信心堅固。

同一件事情

（不同的出發點）　　（不同的目的）

　　正如前面第103頁的圖，同是一個圖，有人看見是巫婆，有人看見是少女。

勝過試探的把握

　　聖經說我們有能力勝過各方面的試探——

　　「自己以為站立得穩的，須要_____，免得跌倒……

　　「你們所遇見的試探，無非是人所能受的，神是信實的，必不叫你們受試探過於所能受的。在受試探的時候，總要給你們開一條_____，叫你們能忍受得住。」

（林前10:12-13）

1.這是神的應許：

　　①每試探經神准許才會臨到我們；

　　②每試探都在我們能忍受的能力之內；

　　③神會幫助我們勝過試探。

2. 我們須要謹慎：

①不要自傲；

②小心應付。

這樣，我們倚靠神就能勝過試探。

勝過試探的方法

我們要分清楚，受試探不是罪，但在試探中失敗了就是罪。主耶穌也曾受魔鬼的試探（太4:1-11），但祂沒有失敗，沒有犯罪。聖經指出，從試探到犯罪有一個過程（雅1:14-15）：

私慾…………→罪……………→死

　　（懷胎：成熟）　　（成長：不改過）

我們若能控制私慾，勝過肉體，就不致於犯罪了。

聖經也多處提示我們勝過試探的方法：

1. **逃避**：有些試探，特別是情慾方面的，最佳的方法是逃避不受它試探；同時，多用時間去思想和追求有意義的事，可以減少它試探我們的機會。

「你要逃避少年的私慾，同那清心禱告主的人，追求_____、_____、_____、_____。」　　　　　　　　（提後2:22）

2. **警醒**：小心並敏感試探的來到。魔鬼會在不知
不覺間，或我們毫無準備的時候試探我們。

「務要＿＿＿＿＿＿＿＿＿＿，因為你們的仇敵
魔鬼如同吼叫的獅子，遍地游行，尋找可
吞吃的人。」　　　　　　　　（彼前5:8）

3. **禱告**：我們警醒小心固然重要，但這是一場屬
靈的戰爭，我們必須藉着禱告倚靠神的能力。

「總要警醒禱告，免得入了迷惑（試探），
你們＿＿＿＿固然願意，＿＿＿＿卻軟弱了。」
　　　　　　　　　　　　　　　（太26:41）

「我們的大祭司（主耶穌）並非不能體恤
我們的軟弱，祂也曾凡事受過試探，與我
們一樣，只是祂沒有＿＿＿＿＿；所以我們只
管坦然無懼的來到＿＿＿＿＿的寶座前，為要
得憐恤，蒙恩惠，作＿＿＿＿＿的幫助。」
　　　　　　　　　　　　　　（來4:15-16）

4. **抗拒**：縱然你逃避、警醒又禱告，但你若有
想放縱自己去嘗試的心，你必注定前功盡
廢。你必須立定心志，堅決抗拒、抵擋一切
試探，過得勝的生活。

「務要抵擋魔鬼，魔鬼就必離開你們＿＿＿＿
了。」　　　　　　　　　　　　（雅4:7）

不要猶疑讓魔鬼有更多試探你的機會，你要

立即抗拒他。

5. **聖經**：神的話是你抵擋試探最佳的武器。請看看主耶穌的例子（太4:1-11）。

「我將你的話藏在心裏，免得我_____。」

（詩119:11）

（參看本課習作②）

萬一你在試探中失敗了，或許一次又一次的失敗了，你要緊記：

1. 主耶穌仍然願意赦免你的罪，只要你悔改——

「我們若說自己無罪，便是自欺，真理不在我們心裏了。我們若認自己的罪，神是信實的，是公義的，必要_____我們的罪，洗淨我們一切的_____。」

（約壹1:8-9）

2. 最大的失敗不是失敗了，而是失敗了不願意再靠神站起來。

習作：

① 請背熟約壹1:9「我們若認自己的罪，神是信實的，是公義的，必要赦免我們的罪，洗淨我們一切的不義。」

②這裏給你一個建議：如果你經常遭遇某一方
　面的試探，如情慾或驕傲，試把它寫出來，
　正視它；找一節有關的金句背熟它，每當試
　探來臨時，就把它背出來。神的話語會給你
　力量勝過試探。

　我的試探：_____

　神的話語：_____

　_____

　_____

③這一課請你記熟舊約各卷的分類：

歷史		詩歌	預言	
摩西五經	歷史書	詩歌書	大先知書	小先知書
創→申	書→斯	伯→歌	賽→但	何→瑪

13

回顧與前瞻

這裏是本書的尾聲了，但卻是你再進一步
認識神、認識自己的開始。請你先回顧在過去的
十二課之中，你學到了甚麼，然後再前瞻以後的
日子，你希望怎樣成為一個更堅穩、蒙神喜悦的
基督徒。

回顧

1. 請分別用一句話，講出過去的十二課每課的
　中心──

① 得救的把握 _____

_____

② 生命的主 _____

_____

③ 靈修生活 _____

_____

④ 教會聚會 _____

_____

⑤ 主內交通 _____

_____

⑥ 為主作見證 _____

_____

⑦ 聖靈的果子 _____

_____

⑧ 讀經生活 _____

_____

⑨ 祈禱生活 _____

_____

⑩ 金錢的使用 _____

_____

⑪明白神的旨意 _____

_____

⑫得勝的生活 _____

_____

2. 在這十二課中，有甚麼是你做到了，有甚麼
　是你仍未做到的？

課次	做到了的	未做到的
①		
②		
③		
④		
⑤		
⑥		
⑦		
⑧		
⑨		
⑩		
⑪		
⑫		

③關於「未做到的」部分,你覺得困難在甚麼
地方?_____

_____

_____

_____

_____

前瞻

「我們應該離開基督道理的開端,竭力進
到完全(就是成熟)的地步。」 (來6:1)

「長大成人,滿有基督長成的身量。」

(弗4:13)

　　神盼望你成為一個更成熟的基督徒。你要
立下心志,定下目標,向前邁步!

1. 我覺得我現在仍有缺乏的地方:

_____

_____

_____

_____

_____

2. 我為前面一年定下的目標：

_____

_____

_____

_____

_____

　　願神賜福給你，叫你在祂手中成為有用的
器皿，能被神大大使用！

答案

24 — d

25 — p

26 — i

27 — i

28 — q

29 — s

30 — j

45　1 — e

　　2 — k

　　3 — g

　　4 — c

　　5 — d

　　6 — a

　　7 — j

　　8 — i

　　9 — b

　　10 — b

　　11 — f

　　12 — h

6. 為主作見證

47　世上的鹽

　　世上的光

　　主的見證

49　福音

　　指望

　　永永遠遠

54　a — 3

　　b — 1

　　c — 2

　　d — 5

　　e — 4

f — 7

g — 6

7. 聖靈的果子

55　好 / 壞

56　果子

　　成聖

　　外邦人

　　祭 / 嘴唇

　　賬

57　仁愛 / 喜樂 /

　　和平 / 忍耐 /

　　恩慈 / 良善 /

　　信實 / 溫柔 /

　　節制

　　良善 / 公義 /

　　誠實

　　清潔 / 和平 /

　　溫 良 柔 順 /

　　憐憫 / 善果 /

　　偏見 / 假冒

　　仁義

58　真理 / 仁義 /

　　聖潔

　　有分

　　離了

59　悔改

　　得生 / 行事

61　形狀

　　使我重生

62　永遠與我同在

　　指教我，使我

想起主的話

使我明白真理

給我傳福音的

　能力

將神的愛澆灌

在我心裏

引導我生活

同證我是神的

　兒女

為我祈禱

顯明神所預備

　的恩典

我是聖靈的殿

給我恩賜

我當順聖靈而

　行

是我得基業的

　憑據

我不要叫聖靈

　擔憂

我要被聖靈充

　滿

我要靠聖靈來

　禱告

我不要消滅聖

　靈的感動

使我知道神住

　在我裏面

8. 讀經生活

63　漸長

73　腳前的燈

苗苗

恭喜您得著祝福，成為上帝的兒女

本書樓特別為您預備了2張購書優惠券，以便您能購買所需的屬靈書籍，靈命進一步成長。願上帝的恩典滿滿地加給您！

優惠券 $20

憑此優惠券於全線香港天道書室(屯門服務站除外)，購買正價天道書籍或總代理書籍滿港幣$100，可作港幣$20使用

使用細則
－ 此券有效期至2013年6月30日
－ 不可與其他優惠同時使用
－ 不可用於購買天道書券或兌換現金
－ 天道書樓保留修改以上優惠條款權利

天道書樓 www.tiendao.org.h

各區天道書室　銅鑼灣　北角　太子　九龍灣　尖沙咀　荃灣　沙田
2895 5877　2570 0831　2776 6887　2997 2330　2311 6281　2498 1931　2691 7666

優惠券 $20

憑此優惠券於全線香港天道書室(屯門服務站除外)，購買正價天道書籍或總代理書籍滿港幣$100，可作港幣$20使用

使用細則
－ 此券有效期至2013年6月30日
－ 不可與其他優惠同時使用
－ 不可用於購買天道書券或兌換現金
－ 天道書樓保留修改以上優惠條款權利

天道書樓 www.tiendao.org.h

各區天道書室　銅鑼灣　北角　太子　九龍灣　尖沙咀　荃灣　沙田
2895 5877　2570 0831　2776 6887　2997 2330　2311 6281　2498 1931　2691 7666

·靈·命·成·長·書·籍·推·介·

書名：祢的話語　我的禱告
作者：貝思·穆爾（Beth Moore）
定價：港幣$85

把上帝的話語結合禱告，是掙脫靈性捆綁，活出自由、釋放的基督徒生命的極有效方法。本書幫助信徒把聖經融入禱告，深化靈命，藉以攻破屬靈生命中的各樣「堡壘」——就是一切高舉自我，攔阻人順服上帝的事。本書的英文原著為2000年美國非小說類別，第二暢銷的基督教書籍。

書名：「燃亮我生命」靈修系列 1-3冊
作者：張永信
定價：每冊港幣$45

《燃亮我生命》這系列的書，正是張永信牧師對徒的一份心意。張牧師盼望藉著簡短經文和生命故事，與你分享重要真理，反思生命真義。

《燃亮我生命》是張牧師以二十多年的牧養心得和其學術洞見結合而成的靈修作品。叫人驚喜是，這系列是以簡約的文字，為讀者預留與神相遇的空間，使讀者在當中頓悟「第一手」的真理。本書的一大特色，是每篇均配以一個具啟發性的故事、例子，為感到枯乾的生命加油，使面臨黯淡的生命，再被燃亮起來。